CAP SUR... 1

LE CARNET DE VOYAGE DE LA FAMILLE COUSTEAU

AUTRICES

Pauline Grazian   Gwendoline Le Ray   Stéphanie Pace

ILLUSTRATEUR

Robert Garcia (Gaur estudio)

ILLUSTRATRICE

Cristina Torrón

GW00566923

maison des langues

www.emdl.fr/fle

Éditions Maison des Langues

SOMMAIRE

MON CAHIER

Je colle ma photo.

Je m'appelle ....

J'ai .... ans.

DYNAMIQUE DU CAHIER

LES UNITÉS

1 Trois doubles-pages d'activités motivantes et variées pour renforcer l'apprentissage des contenus abordés dans le *Livre de l'élève*

Des activités avec des autocollants

Des consignes simples et illustrées

Des activités ludiques

Une police et une mise en page adaptées aux élèves DYS

Des activités pour travailler les chansons du *Livre de l'élève*

2 Une page pour travailler la lecture, l'écriture et la phonétique

3 Une page interculturelle

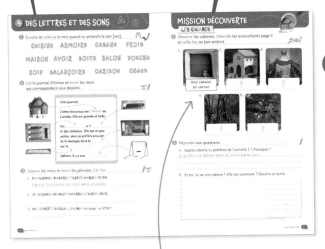

Des activités interculturelles pour approfondir les thématiques du *Livre de l'élève*

4 Une page interdisciplinaire

5 Une page d'autoévaluation

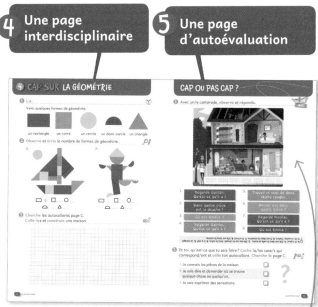

Un jeu pour stimuler l'évaluation

LES ANNEXES

6 Des pages de préparation au DELF PRIM A1.1

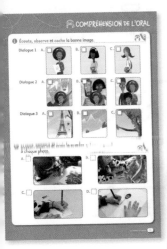

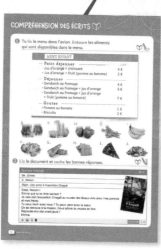

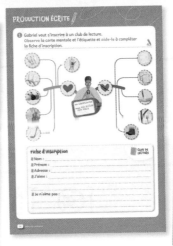

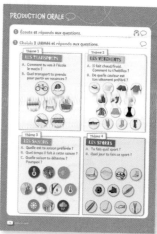

7 Un glossaire illustré pour mémoriser plus facilement le lexique et pour noter la traduction

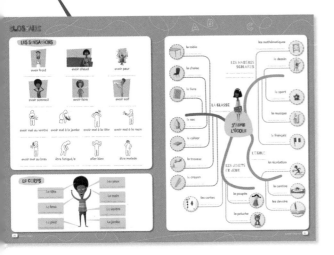

8 Les transcriptions des chansons

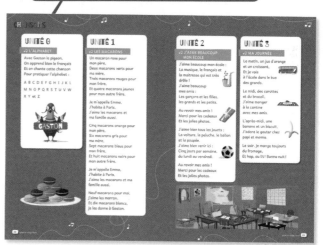

9 Des autocollants

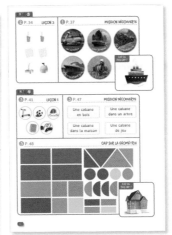

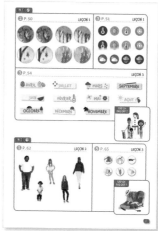

1 Écoute et complète les mots.

1.
B o n J U R

2.

Ç... V... ?

3.
... ... O

4.
C I É A

5.
... A ... is

6.
... C O O ... ILE

7.
... S ... R ...

8.
F O ... TB ... L ...

9.
G ... ARE

10.
Pi ... Z ...

11.
... ... O T

12.
"... Bi N ... ÔT

2 Associe les mots à leur symbole.

A. une guitare

B. Paris

C. le surf

D. un crocodile

E. une pizza

F. une photo

1.

2.

3.

4.

5.

6.

3 Complète l'alphabet. **Cherche** les autocollants page A et **colle-les**.

Quelle lettre tu préfères ?

....

4 Écris ton prénom. Tu peux utiliser les lettres de l'activité 3.

5 Écoute et écris le prénom.

1. L O U I S E

2.

3.

4.

5.

6.

6 Relie et colorie.

Qu'est-ce que c'est ?

....

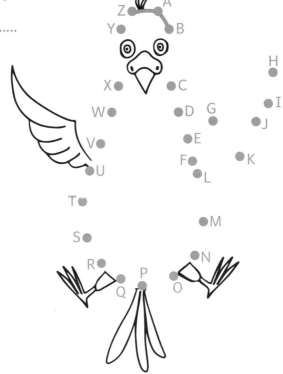

7 Crée ton pigeon. Dessine-le ou découpe les parties du corps sur la fiche et colle-les. Choisis un prénom.

....

8 Qu'est-ce que tu dois faire ? **Écris.**

A. Écoute et écris.

B. _____ et _____.

C. _____ et _____

D. _____, _____ et _____.

E. _____ et _____.

9 Qu'est-ce qu'ils/elles font ? **Cherche** les autocollants page A et **colle-les** sous la photo qui correspond.

A.

?

B.

?

C.

?

D.

?

E.

?

F.

?

1 **Aide** Gabriel à retrouver Gaston. **Trace** le chemin.
Tu ne peux passer que par des mots pour saluer.

	salut	coucou
colorie	Amélie	bonjour
photo	bonjour	salut
salut	coucou	pizza
camarade	bonjour	salut
moi	Puris	

2 **Complète** les bulles. Tu peux t'aider des étiquettes proposées.

salut   coucou   bonjour

je m'appelle   moi, c'est

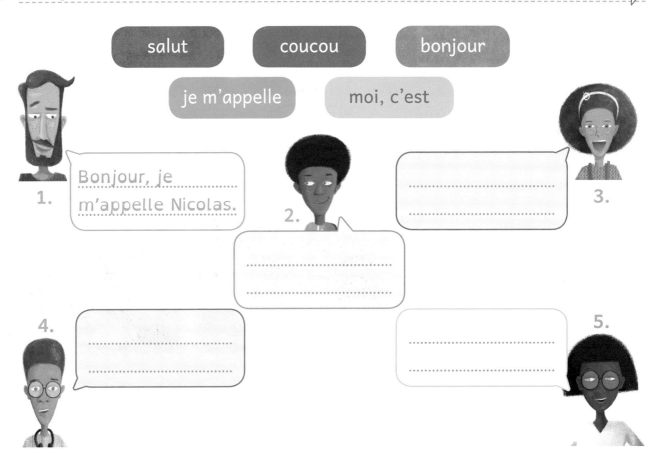

1. Bonjour, je m'appelle Nicolas.

2.

3.

4.

5.

3 Associe.

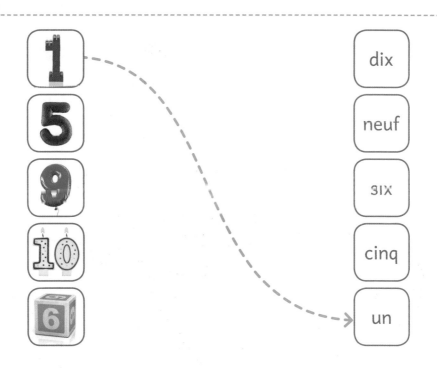

1   dix

5   neuf

9   six

10   cinq

6   un

4 Compte et écris en lettres.

A.  → deux

B. → ....

C. → ....

D. → ....

E. → ....

1 Colorie.

le grand frère   la mère   le pigeon   **la sœur**   le petit frère   le père

2 Gabriel présente sa famille. **Complète** les phrases.

A. Nicolas, c'est mon père .

B. Hector, c'est ....

C. Amélie, c'est ....

D. Gaston, c'est ....

E. Emma, c'est ....

❸ Écoute, observe et **coche** la bonne photo.

1.

2.

3.

4.

❹ Quel âge ils/elles ont ? Compte et **complète** les phrases.

A.

Elle *a* dix ans _____ .

B.

Il _____ .

C.

Il _____ .

D.

Elle _____ .

❺ Et toi, tu as quel âge ? Dessine les bougies et **écris** ton âge.

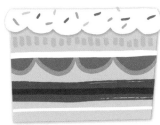

Moi, j'ai... _____

1 **Cherche** les autocollants page A et **colle-les** au bon endroit.

A.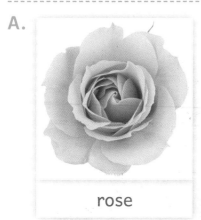
rose

B. ?
blanc

C. ?
marron

D. ?
jaune

E. ?
gris

F. ?
vert

2 **Écris** la couleur.

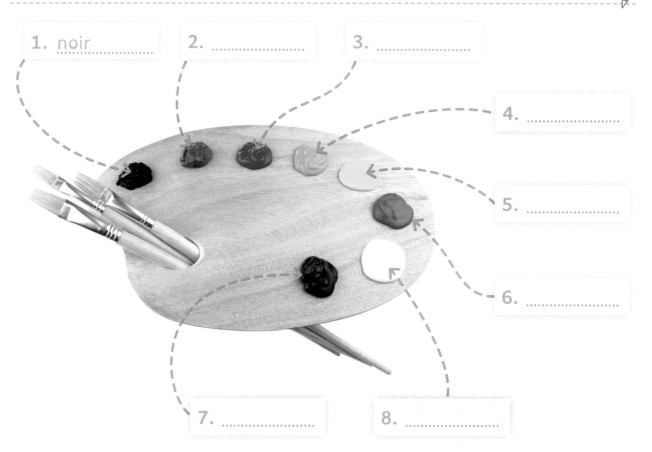

1. noir

2. ....

3. ....

4. ....

5. ....

6. ....

7. ....

8. ....

3 **Écoute** la chanson, **dessine** et **colorie**.

A.

le père

B.

la mère

C.

Emma

4 **Écris** les mots dans la bonne colonne.

| couleur | alphabet | ciel | tour | famille |

| exercice | sœur | macaron | âge | chat |

| mère | drapeau | école | frère | amie |

le	la	l' / l'
ciel	couleur	alphabet

1 **Lis** le texte et **entoure** la bonne réponse.

Coucou ! Moi, c'est Hector Cousteau.
J'ai six ans.
Ma mère s'appelle Amélie et mon papa, Nicolas.
Emma, c'est ma sœur ! Mon grand frère s'appelle Gabriel.
Ma couleur préférée, c'est le bleu.

1. Il s'appelle...   a. Gaston.   **b. Hector.**⟲   c. Nicolas.

2. Il a...   a. 10 ans.   b. 6 ans.   c. 7 ans.

3. Emma, c'est...   a. sa sœur.   b. sa pigeonne.   c. sa mère.

4. Son père s'appelle...   a. Gaston.   b. Nicolas.   c. Gabriel.

5. Sa couleur préférée, c'est... a. le vert.   b. le jaune.   c. le bleu.

2 **Lis** le dialogue et **écris** le bon mot à côté de chaque image.

🗨 Salut ! Comment tu t'appelles ?

🗨 Je m'appelle ...., et toi ?

🗨 Je m'appelle Olivia. C'est ton .... ?

🗨 Oui, il s'appelle Gaston.

🗨 Il a quel âge ?

🗨 On ne sait pas. Moi, j'ai .... ans.
    Tu as quel âge, Olivia ?

🗨 J'ai  .... ans !
    Et ma couleur préférée, c'est le  ....

🗨 Moi, c'est le  .... et le ....

3 **Écoute** et **colorie** si tu entends une question.

1. ❓   2. ❓   3. ❓   4. ❓

1 Associe les monuments et les pays. Écoute et vérifie.

1.

La France

2.

Les États-Unis

3.

La Russie

4.

L'Italie

5.

La Chine

A.

La tour de Pise

B.

Le Kremlin

C.

La statue de la Liberté

D.

La Grande Muraille

E.

La tour Eiffel

2 Et toi, quel monument symbolise ton pays ? Écris une phrase.

Dans mon pays, l'Égypte, c'est le sphinx !

1 CAP SUR LES ARTS PLASTIQUES

1 **Lis.**

Voici les **couleurs primaires** :

 Le **rouge**.　　 Le jaune.　　 Le **bleu**.

Voici les **couleurs secondaires** :

L'**orange**,
c'est le jaune et le rouge.

Le **gris**,
c'est le blanc et le noir.

Le **vert**,
c'est le bleu et le jaune.

Le **marron**,
c'est l'orange et le bleu.

Le **violet**,
c'est le bleu et le rouge.

Le rose,
c'est le rouge et le blanc.

2 **Complète** le cercle.

Colorie les cases avec les couleurs
primaires et secondaires.

rouge

jaune

bleu

3 **Observe** et **réponds**.

Quelle est la couleur de ces éléments sur le tableau ?

C'est une couleur primaire ou secondaire ?

le drapeau　　la tour　　le chat　　le ciel

Le drapeau est bleu, blanc, rouge. Bleu et

rouge, ce sont des couleurs primaires.

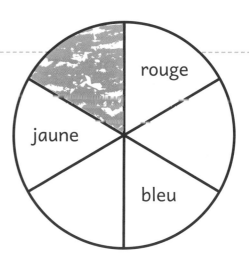

« Paris par la fenêtre »,
tableau de Marc Chagall, 1913

CAP OU PAS CAP ?

1 Avec un/e camarade, **lance** le dé et **réponds** aux questions.

JOUE

DÉPART

① Comment il s'appelle ?

② C'est qui ?

③ Quel âge a Emma ?

Hector, c'est **le petit frère / la sœur / le grand-frère.**

④ Comment tu t'appelles ? Je

Comment elle s'appelle ?

⑦

⑥

⑤ Compte.

⑧

C'est quelle couleur ?

Ce monument, c'est **le / la / l'** tour Eiffel.

⑨ C'est quelle couleur ?

⑩ Compte.

Quel âge tu as ?

⑫ ARRIVÉE

⑪

1. Nicolas. **2.** C'est Gaston, le pigeon. **3.** Emma a 7 ans. **4.** Réponse libre. **5.** Cinq pigeons. **6.** C'est jaune. **7.** Le petit frère. **8.** Elle s'appelle Amélie. **9.** C'est vert. **10.** Huit pigeons. **11.** Réponse libre. **12.** la.

2 Et toi, qu'est-ce que tu sais faire ? **Coche** la/les case/s qui correspond/ent et **colle** ton autocollant. **Cherche-le** page A.

> Je sais dire et demander comment on s'appelle. ☐

> Je sais dire l'âge. ☐

> Je sais compter jusqu'à 10. ☐

> Je connais les couleurs. ☐

> Je sais présenter quelqu'un. ☐

?

1 Observe et complète les mots avec les lettres qui manquent.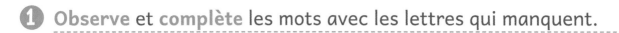

1.

pou · p é e

2.

… … … … · che

3.

… … · vre

4.

… … … · lon

5.

… … … · sin

6.

pho · … …

2 Écris les mots dans la bonne colonne.

activité   macaron   ballon   photo

dessin   poupée   peluche   livre

garçon   fille   pigeon   école

pigeonne   drapeau   chien   fête

un	une
macaron	activité

3 **Associe** l'objet et son ombre.

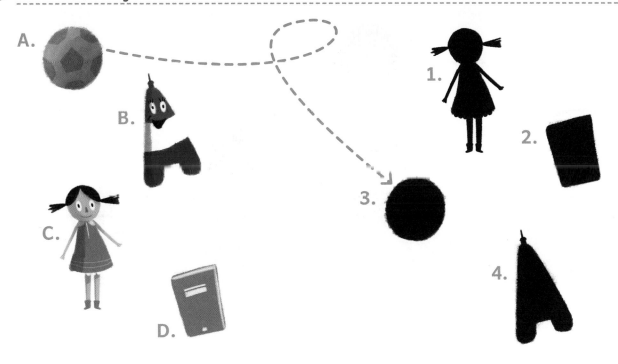

Qu'est-ce que c'est ?

A. C'est un ballon. ....

B. ....

C. ....

D. ....

4 **Dessine** une chose drôle et une chose jolie et **écris** ce que c'est.

DRÔLE

JOLI

....

....

....

....

1 **Écoute** et **associe**.

A. ✓   B. 2   C. 4   D. 1

2 **Cherche** les autocollants page A. **Observe** et **complète** les dominos avec un mot ou un autocollant.

une trousse

un cadeau

un livre

une poupée

une peluche

une chaise

Una photo

un crayon

un chat

3 **Observe** et **trouve** les 5 différences.

1.

2.

Le cahier

IMAGE 1

La trousse est rose.

La carte est jaune.

Le sac est jaune.

Le cahier est grand

La photo est petite

IMAGE 2

La trousse est rouge.

La carte est orange

La sac est bleu bleu

Le cahier est petit

La photo est grande

4 **Observe** et **coche** les phrases qui sont vraies.

A. ☑ Emma a une plante.

B. ☒ Emma a un ballon.

C. ☐ Le sac est orange.

D. ☒ Emma a 5 trousses.

E. ☒ Emma a 4 cahiers.

F. ☐ Le ballon est bleu.

5 **Choisis** deux objets de l'activité 4 et **décris-les**.

Le cahier rouge est grand...

1 **Écoute** et **coche** le bon emploi du temps.

A. ☐

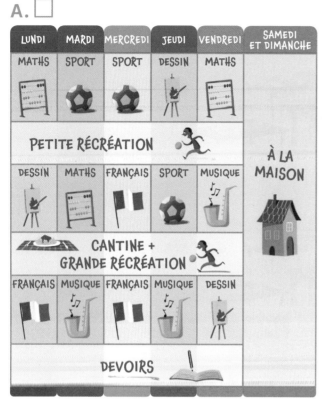

B. ☐

2 **Choisis** un emploi du temps de l'activité 1
et **décris** les jours d'école.

Le lundi, j'ai mathématiques, dessin et français.

....

....

....

....

....

3 **Observe** et **complète** la série.

samedi → dimanche → .... → mardi →

.... → jeudi → ....

4 Écoute et complète la chanson avec **le**, **la** ou **les**.

J'AIME BEAUCOUP MON ÉCOLE

J'aime beaucoup mon école :
__la__ musique, ………… français
et ………… maitresse qui est très
drôle !

J'aime beaucoup mes amis :
………… garçons et ………… filles,
………… grands et ………… petits.

Au revoir mes amis !
Merci pour ………… cadeaux
Et …………jolies photos.

J'aime bien tous …………jouets :
………… voiture, ………… peluche,
………… ballon et ………… poupée.

5 Observe et écris des phrases.

Manon aime les mathématiques. Elle aime beaucoup la récréation.

....

....

....

1 **Lis** le texte et **entoure** les bonnes réponses.

> Mon école est super !
>
> J'aime mon emploi du temps. Le lundi, j'ai mathématiques, dessin et français.
>
> J'aime beaucoup le maitre. Il est grand, drôle et content.
>
> Dans mon sac, j'ai une trousse, un livre, des stylos et un cahier.
>
> Emma

1. Qui écrit ?   a.   b.   c.   d.

2. Le lundi, elle a...   a.   b.   c.   d.

3. Le maitre est...   a.   b.   c.   d.

4. Dans son sac, elle a...   a.   b.   c.   d.

2 **Écoute** et **dis** si c'est une fille ou un garçon.
Coche la bonne case.

	un garçon	une fille
1.	☑	☐
2.	☐	☐
3.	☐	☐
4.	☐	☐
5.	☐	☐

1 À quoi ils/elles jouent ? **Associe.**

1.

Lego

puzzle

2.

3.

jeux
vidéo

jeu de
cartes

4.

2 **Colle** une photo ou **dessine** un jouet ou un jeu typique de ton pays.
Écris le nom.

....
....

3 **Réponds** aux questions.

A. Quel est ton jouet/jeu préféré ?

B. Avec qui tu joues ?

C. Quel jour tu joues avec ce jouet/à ce jeu ?

Mon jeu préféré, ce sont les cartes. Je joue aux cartes avec mon
frère le dimanche.

② CAP SUR L'ÉDUCATION CIVIQUE

❶ Lis.

Dire **bonjour**, **s'il te plait**, **merci** et **au revoir** est très important.

C'est ce qu'on appelle la **politesse**.

❷ Observe et complète les phrases.

| bonjour | merci | au revoir | s'il te plait |

1.

Je dis bonjour
à la maitresse le matin.

2.

Quand je veux manger,
je dis ....

3.

Je dis ....
à la maitresse l'après-midi.

4.

Quand on me donne un
cadeau, je dis ....

❸ Comment tu dis ces mots dans ta langue ? Écris.

A. Bonjour = ...

B. Au revoir = ...

C. Merci = ...

D. S'il te plait = ...

CAP OU PAS CAP ?

1 **Joue** avec un/e camarade. **Choisis** une case, **réponds** correctement et **dessine** une croix ou un rond. **Aligne** trois symboles pour gagner.

Donne le nom de ces matières. 	De quelle couleur est la chaise ? 	Qu'est-ce que c'est ? 
Qu'est-ce que c'est ? 	Complète. Elle... 	Complète. Il... 
Complète. 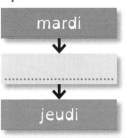 mardi ↓ .... ↓ jeudi	Cite 3 objets de la classe. 	Comment est Manon ? 

Les mathématiques, le sport. — Rouge. — Un cahier. — Une peluche. — Elle aime (beaucoup) le maitre. — Il aime ses amis. — mercredi — Réponse libre. — Elle est triste.

2 Et toi, qu'est-ce que tu sais faire ? **Coche** la/les case/s qui correspond/ent et **colle** ton autocollant. **Cherche-le** page A.

> Je sais décrire un objet ou une personne. ☐

> Je sais dire ce que j'aime. ☐

> Je sais parler de mon emploi du temps. ☐

> Je connais le matériel scolaire. ☐

1 Gabriel présente sa famille. **Observe** et **complète** les phrases.

1.

C'est
ma sœur.

2.

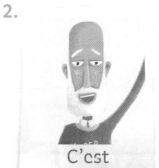

C'est

3.

Ce sont

4.

C'est

5.

C'est

6.

Ce sont

7.

C'est

8.

C'est

2 **Écoute** et **colorie** ce que tu entends. 11

A.

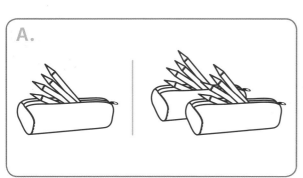

B.

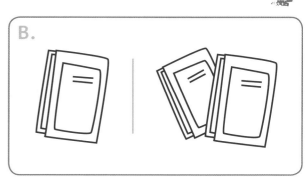

C.

D.

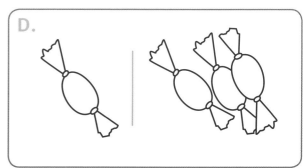

3 Écoute et écris le numéro du dialogue qui correspond
à chaque image.

A.

B.

C.

D.

4 Mets 5 choses dans ton sac. Cherche les autocollants page B
et colle-les. Présente ton sac.

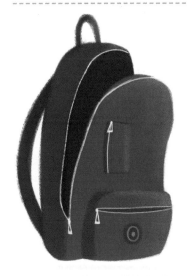

?   ?

?   ?   ?

Dans mon sac, il y a...

....

....

....

....

1 Trouve les transports dans la grille.

R	T	I	V	O	B
B	A	T	E	A	U
V	U	R	L	B	S
S	M	A	O	P	D
A	V	I	O	N	F
P	I	N	C	E	E

2 Cherche les autocollants page B. Colle les pièces de puzzle et forme les transports.

1.

une trottinette

2.

une voiture

3.

un skateboard

3 **Trace** le chemin et **complète** les phrases. **Écoute** et **vérifie**.

A. Hector va à l'école ....

B. Emma va à la maison ....

C. Louise va à la cantine ....

D. Augustin va à l'aéroport ....

4 Et toi, comment tu vas à l'école ? **Complète** la phrase.

Moi, je vais à l'école... _____

5 **Colorie** pour faire des phrases.

Je	prends	à l'école.
Il/Elle/On	vas	le train.
Tu	prend	le bus.
Il/Elle/On	va	à la maison.
Je	prends	à l'aéroport.
Tu	vais	l'avion.

1 Écoute la chanson et **trace** le chemin. 🎧 14 ✏️

DÉPART →      ARRIVÉE

2 Écoute. **Cherche** les autocollants page C et **colle-les**. 🎧 15 🧭 ✏️

| Hector | Gabriel | Emma | Louise |

3 **Observe** et **complète** les phrases.

1. Elle aime <u>les bananes.</u>
2. Elle adore ....
3. Elle n'aime pas ....
4. Elle déteste ....

5. Il ....
6. Il ....
7. Il ....
8. Il ....

4 **Observe** et **complète**.

A. Écris le nom des transports.

| 1. <u>un train</u> | 2. .... | 3. .... | 4. .... | 5. .... |

B. Quels aliments tu reconnais sur les images ?

<u>Des carottes,</u> ....

....

5 **Imagine** un autre transport-aliment. **Dessine** et **écris** le nom.

....
....

❶ Lis le texte. Vrai ou faux ? **Coche** la bonne case.

Louise, c'est mon amie !

Dans son petit sac, il y a des crayons, un cahier et sa poupée, Lola.

Elle adore les bonbons, le jus d'orange et les pommes.

Elle n'aime pas les brocolis et le fromage.

Ses grands-parents s'appellent Linette et Jacques.

Elle va à Montréal en avion.

	VRAI	FAUX
A. Emma parle de son amie Louise.	☑	☐
B. Dans le sac de Louise, il y a un livre.	☐	☐
C. La poupée de Louise s'appelle Lola.	☐	☐
D. Louise adore le jus d'orange.	☐	☐
E. Louise n'aime pas les pommes.	☐	☐
F. Les grands-parents de Louise s'appellent Linette et Augustin.	☐	☐
G. Louise va à Montréal en train.	☐	☐

❷ Écoute et **entoure** ce que tu entends.

1. le livre • (les livres)

2. le ballon • les ballons

3. le jus d'orange • les jus d'orange

4. la carte • les cartes

5. la carotte • les carottes

6. le bonbon • les bonbons

MISSION DÉCOUVERTE
LES TRANSPORTS DANS LE MONDE

1 **Associe** les photos des transports aux dessins.
Cherche les autocollants page C et **colle-les** au bon endroit.

2 Et toi, quel transport est typique de ton pays ou de ta ville ?
Colle une photo ou **dessine-le** et **écris** une phrase.

Dans ma ville,
New-York, les
taxis sont jaunes.

....

....

1 Lis.

Voici des **transports d'avant**.

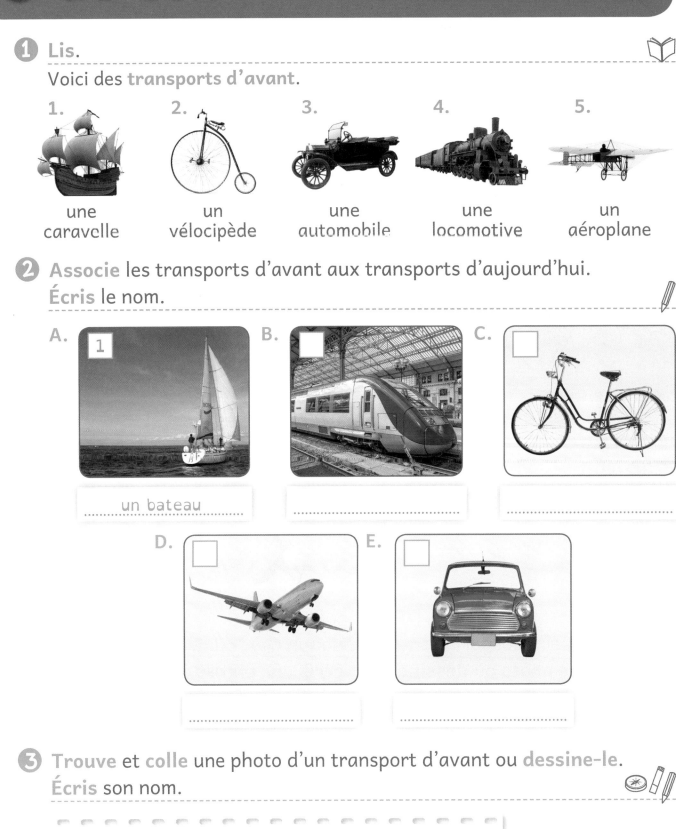

1. une caravelle

2. un vélocipède

3. une automobile

4. une locomotive

5. un aéroplane

2 **Associe** les transports d'avant aux transports d'aujourd'hui.
Écris le nom.

A. 1
...... un bateau ......

B.
....

C.
....

D.
....

E.
....

3 **Trouve** et **colle** une photo d'un transport d'avant ou **dessine-le**.
Écris son nom.

....
....

CAP OU PAS CAP ?

1 Avec un/e camarade, **réponds** aux questions.

A. Qu'est-ce qu'il y a dans le sac ?

B. Tic, tac, boum ! Tu as une minute pour dire le maximum de mots.

transports	aliments
jouets	matériel scolaire

C. Qu'est-ce qu'elle aime ?

D. Qu'est-ce qu'il n'aime pas ?

E. Dis le nom des aliments.

1.
2.
3.
4.
5.

le fromage. **E. 1.** des croissants **2.** un sandwich **3.** des bananes **4.** un jus d'orange **5.** des pommes.

A. Il y a des livres, un jeu et des bonbons. **B.** Réponse libre. **C.** Elle aime les bonbons. **D.** Il n'aime pas

2 Et toi, qu'est-ce que tu sais faire ? **Coche** la/les case/s qui correspond/ent et **colle** ton autocollant. **Cherche-le** page C.

> Je sais dire ce qu'il y a. ☐

> Je connais quelques transports. ☐

> Je sais exprimer des gouts. ☐

> Je connais quelques aliments. ☐

1 Emma cherche le ballon. **Aide-la. Observe** et **trouve.**
Vérifie ta réponse avec l'image A de l'activité 4.

CODE SECRET

🍁=A 🌸=B 🌰=C 🍁=D 🦌=E 🌲=I 🍁=L

🍄=M 🐾=N 🌸=O 🐾=S 🦌=T 🍄=U 🪵=V

2 **Complète** les mots-croisés.

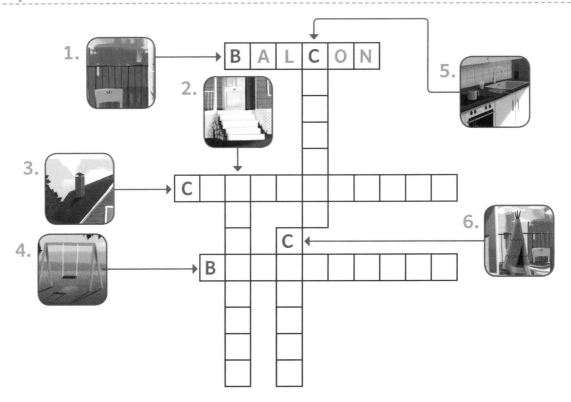

1. B A L C O N
2.
3. C
4. B
5.
6.
C

3 **Cherche** les autocollants page C.
Écoute et **colle-les** au bon endroit.

4 **Observe** et **corrige** les phrases.

A.

B.

1. La trottinette est **devant** la maison.

   Non, la trottinette est derrière la maison.

2. Le jeu vidéo est **sur le tapis**.

   Non,

3. La voiture est **sur** la chaise **rouge**.

   Non,

4. La cabane est **derrière la maison**.

   Non,

1 Écoute, observe et coche la bonne réponse.

Dialogue 1   **A.**   **B.**   **C.**

Dialogue 2   **A.**   **B.**   **C.**

Dialogue 3   **A.**   **B.**   **C.**

2 Lis et barre l'intrus.

A. la douche • les toilettes • le lit • la salle de bains

B. la table • le tapis • le canapé • la douche

C. le jardin • la cabane • la lampe • le balcon

D. la table • la chaise • l'armoire • la balançoire

3 **Observe** et **écris** le nom des pièces et des meubles.

A. le toit

B. ....

C. ....

D. ....

E. ....

F. ....

G. ....

H. ....

I. ....

J. ....

K. ....

L. ....

M. ....

N. ....

4 **Réponds.**

Dans ta maison, quelle est ta pièce préférée ? Dis ce qu'il y a dans la pièce.

Ma pièce préférée, c'est ma chambre. Il y a un lit, une armoire...

....

....

1 Observe et écris les phrases sous les photos.

| J'ai faim ! | Elle a chaud. | Tu as soif ? | ~~J'ai peur !~~ |

A.

J'ai peur !

B.

....

C.

....

D.

....

2 Associe les questions et les réponses.

A.
Pourquoi tu as froid ?

1.
Parce que j'ai peur.

B.
Pourquoi tu es dans la cuisine ?

2.
Parce que je suis dehors.

C.
Pourquoi elle est dans son lit ?

3.
Parce que j'ai faim.

D.
Pourquoi tu fais aaaaaaaaaah ?

4.
Parce qu'elle a sommeil.

3 Observe, lis et écris le contraire.

1.

Il a froid.
Il n'a pas froid.

2.

Elle a chaud.

....

3.

Il a peur.

....

4.

Elle a faim.

....

5.

Il a soif.

....

6.

Il a sommeil.

....

4 Écoute la chanson et entoure les meubles que tu entends.

A.

B.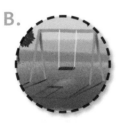

C.

D.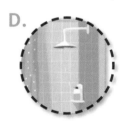

E.

F.

G.

H.

I.

J.

K.

L.

4 DES LETTRES ET DES SONS A B

1 **Écoute** et **colorie** le mot quand tu entends le son [wa].

CUISINE   ARMOIRE   CABANE   FROID

MAISON   AVOIR   BOITE   SALON   DOUCHE

SOIF   BALANÇOIRE   CARIBOU   CHAUD

2 **Lis** le journal d'Emma et **écris** les mots
qui correspondent aux dessins.

Cher journal,

J'aime beaucoup ma _maison_ au
Canada. Elle est grande et belle.

Ma _____ a 3 _____
et des tableaux. Elle est un peu
petite, alors je préfère écouter
de la musique dans le _____
sur le _____ .

Dehors, il y a une _____ .

3 **Sépare** les mots et **écris** les phrases. **Lis-les.**

1. PAPAAFROIDPARCEQU'ILESTDANSLEJARDIN

   Papa a froid parce qu'il est dans le jardin.

2. JESUISDANSMONLITPARCEQUEJ'AISOMMEIL

   ....

3. HECTORESTDANSLACUISINEPARCEQU'ILAFAIM

   ....

MISSION DÉCOUVERTE

LES CABANES

1 **Observe** les cabanes. **Cherche** les autocollants page C
et **colle-les** au bon endroit.

1.

Une cabane
en carton

2.

?

3.

?

4.

?

5.

?

2 **Réponds** aux questions.

A. Quelle cabane tu préfères de l'activité 1 ? Pourquoi ?

Je préfère la cabane dans un arbre parce que...

B. Et toi, tu as une cabane ? Elle est comment ? Dessine et écris.

1 Lis.

Voici quelques formes de géométrie.

un rectangle   un carré   un cercle   un demi-cercle   un triangle

2 Observe et écris le nombre de formes de géométrie.

A.

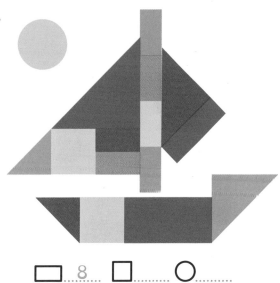

▭ ..8..   ▢ ....   ◯ ....

⌓ ....   △ ....

B.

▭ ....   ▢ ....   ◯ ....

⌓ ....   △ ....

3 Cherche les autocollants page C.
Colle-les et construis une maison.

CAP OU PAS CAP ?

1 Avec un/e camarade, **observe** et **réponds**.

JOUE

1. Regarde Gaston. Qu'est-ce qu'il a ?

2. Dans quelle pièce est la douche ?

3. Où est Amélie ?

4. Regarde Gabriel. Qu'est-ce qu'il a ?

5. Trouve le nom de deux objets rouges.

6. Hector est dans quelle pièce ?

7. Regarde Nicolas. Qu'est-ce qu'il a ?

8. Où est Emma ?

 1. Il a peur. **2.** Elle est dans la salle de bains. **3.** Elle est sur le canapé, dans le salon. **4.** Il a soif. **5.** Le canapé, le lit, la valise, l'arbre. **6.** Il est dans la chambre. **7.** Il a froid. **8.** Elle est dans la cuisine.

2 Et toi, qu'est-ce que tu sais faire ? **Coche** la/les case/s qui correspond/ent et **colle** ton autocollant. **Cherche-le** page C.

› Je connais les pièces de la maison. ☐

› Je sais dire et demander où se trouve quelque chose ou quelqu'un. ☐

› Je sais exprimer des sensations. ☐

?

1 **Observe** et **écris** le nom des saisons.

| l'automne | l'hiver | le printemps | l'été |

A.

L'hiver

B.

....

C.

....

D.

....

2 **Joue** au sudoku. **Cherche** les autocollants page D
et **colle-les** au bon endroit.

le printemps

l'eté

l'automne

l'hiver

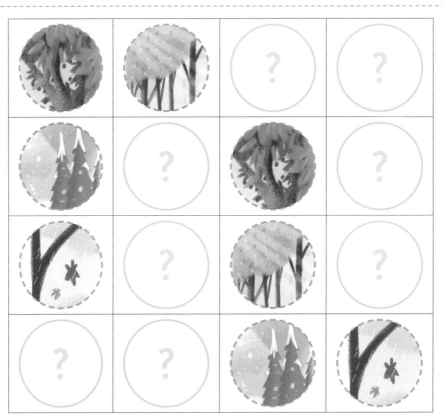

3 **Écoute** la météo. **Cherche** les autocollants page D
et **colle-les** pour compléter les cartes.

1.

◉ Québec
Montréal ◉

2.

◉ Québec
Montréal ◉

3.

◉ Québec
Montréal ◉

4.

◉ Québec
Montréal ◉

4 Et chez toi, il fait quel temps aujourd'hui ?
Regarde par la fenêtre et **décris** ce que tu vois.

Aujourd'hui, il fait beau. Il y a...

1 **Observe** et **complète** avec les lettres qui manquent.

A.

LE S K I

B.

LE H... K... ...
... ...R ... ...A... ...

C.

LA ... ...R... E

D.

LE ... ...T... ... ...

E.

LE ... ...T... ...
... G... ...C...

F.

LE ... R... ... ...AU

2 **Écoute** et **coche** ce qu'il/elle aime.

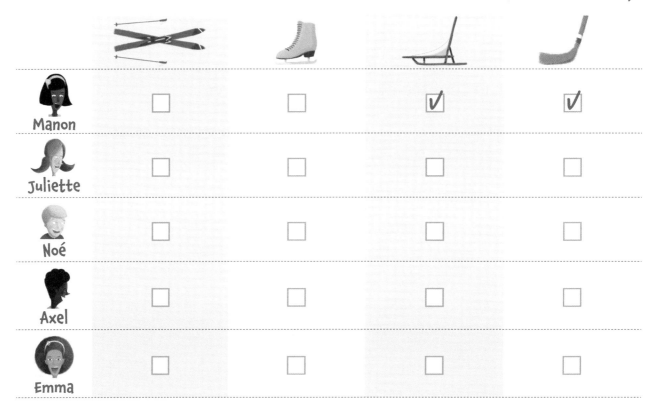

	ski	patin	luge	hockey
Manon	☐	☐	☑	☑
Juliette	☐	☐	☐	☐
Noé	☐	☐	☐	☐
Axel	☐	☐	☐	☐
Emma	☐	☐	☐	☐

3 **Colorie** de la bonne couleur.

être   aller   faire   avoir

4 Tu es en vacances avec ta famille. **Raconte** ta journée.

A. Quel temps il fait ?

B. Qu'est-ce que tu fais ? Avec qui ?

1 Comment tu écris ces numéros en lettres ? **Associe.**

A. `4` B. ☐ C. ☐ D. ☐ E. ☐ F. ☐

1. trente-et-un   **3.** dix-neuf   **5.** quatorze

2. vingt-huit   **4.** douze   **6.** vingt-trois

2 **Écris** les scores en lettres.

A. ┌─────────────────────────┐
   │ FRANCE 24 │ CANADA 21 │
   └─────────────────────────┘
   La France a <u>vingt-quatre</u> points, le Canada a <u>vingt-et-un</u> points.

B. ┌─────────────────────────┐
   │ FRANCE 11 │ CANADA 16 │
   └─────────────────────────┘
   La France a .... points, le Canada a .... points.

C. ┌─────────────────────────┐
   │ FRANCE 17 │ CANADA 18 │
   └─────────────────────────┘
   La France a .... points, le Canada a .... points.

D. ┌─────────────────────────┐
   │ FRANCE 25 │ CANADA 30 │
   └─────────────────────────┘
   La France a .... points, le Canada a .... points.

3 **Mets** les mois dans l'ordre. **Cherche** les autocollants page D et **colle-les** au bon endroit.

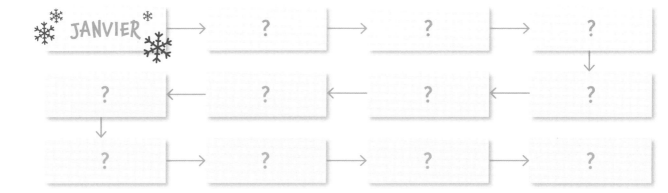

4 **Écoute** et **complète** le calendrier des anniversaires.
Écris le jour et le prénom. **Complète** le calendrier
avec les anniversaires de tes camarades.

 23

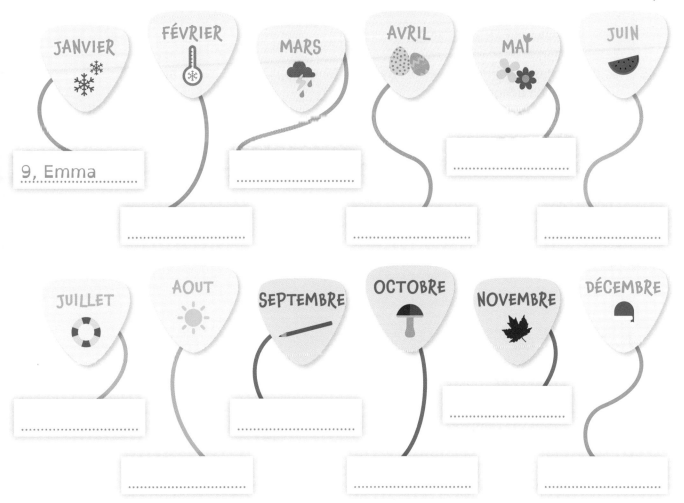

JANVIER

9, Emma ....

FÉVRIER

....

MARS

....

AVRIL

....

....

MAY

....

JUIN

....

JUILLET

....

AOUT

....

....

SEPTEMBRE

OCTOBRE

....

....

NOVEMBRE

....

DÉCEMBRE

....

5 **Écoute** la chanson et **associe** les phrases aux images. 24

On saute !   On frappe !   On danse !

A.

....

B.

....

C.

....

1 Lis l'e-mail. Trouve et entoure de la bonne couleur.

Nouveau message	_ ⊡ ✕
De : Emma	
À : Manon	
Objet : Mon anniversaire au Canada	

Coucou, Manon !
Nous sommes le 9 (janvier) et je suis avec ma famille au Canada. Nous avons une grande maison à Montréal.
Aujourd'hui, il neige et il y a du soleil. C'est super parce que c'est mon anniversaire !!
J'ai 8 ans.
Avec Hector, nous faisons du patin à glace et Gabriel fait du ski.
Avec papa et maman, pour mon anniversaire, je fais du traineau.
J'aime beaucoup les sports d'hiver. C'est très drôle !
J'adore l'hiver mais il fait froid !!
Et toi, qu'est-ce que tu fais ? Tu aimes la neige ? Quel temps il fait en France ?
Bisous,
Emma

A ☺ 📎 🗑   **ENVOYER** ▾

A. Un mois

B. Une saison

C. Des activités

D. Des mots pour dire le temps qu'il fait

E. Des mots pour demander le temps qu'il fait

2 Écoute et complète les mots avec o, au ou eau.

1. n_o_vembre

2. train………

3. h……ckey

4. tabl………

5. s……leil

6. ………t………mne

7. ch………d

8. ph………t………

9. fr………mage

10. bat………

MISSION DÉCOUVERTE
LES SAISONS DANS LE MONDE

1 Lis.

Salut, je m'appelle Charlotte !
Mon pays, c'est le Canada.
En décembre, janvier et février,
c'est l'hiver. Le printemps, c'est
en mars, avril et mai. En juin,
juillet et aout, c'est l'été.
L'automne, c'est en septembre,
octobre et novembre.

Salut, je m'appelle Max !
Mon pays, c'est l'Australie.
En décembre, janvier et février,
c'est l'été. L'automne, c'est
en mars, avril et mai. En juin,
juillet et aout, c'est l'hiver.
Le printemps, c'est en septembre,
octobre et novembre.

2 Colorie les mois selon la saison.

l'hiver   le printemps   l'été   l'automne

🇨🇦 au Canada

JANVIER	FÉVRIER	MARS
AVRIL	MAI	JUIN
JUILLET	AOUT	SEPTEMBRE
OCTOBRE	NOVEMBRE	DÉCEMBRE

🇦🇺 en Australie

JANVIER	FÉVRIER	MARS
AVRIL	MAI	JUIN
JUILLET	AOUT	SEPTEMBRE
OCTOBRE	NOVEMBRE	DÉCEMBRE

3 Et dans ton pays ou ta région, comment sont les saisons ?
Explique.

....

....

....

....

1 Lis.

Il y a quatre points cardinaux :
le **nord**, le **sud**, l'**est** et l'**ouest**.
Le nord correspond au pôle Nord et le sud
au pôle Sud.

pôle
Nord

pôle
Sud

La **boussole** et le **soleil** aident à retrouver
son chemin.
La boussole montre toujours le nord.
Le soleil est à l'est le matin, au sud le midi
et à l'ouest le soir.

nord

ouest · est

une boussole

sud

2 Tu sais pourquoi on utilise ces instruments ? **Associe**.

A. ☐  le GPS

B. ☐  un télescope ou lunette astronomique

C. ☐  une girouette

1. Pour observer la position des étoiles dans le ciel.

2. Pour connaitre la direction du vent.

3. Pour trouver son chemin en voiture.

3 Hector fait quelle activité ? Pour le savoir, **écoute**
les indications et **dessine** ses pas.

DÉPART

nord

ouest · est

sud

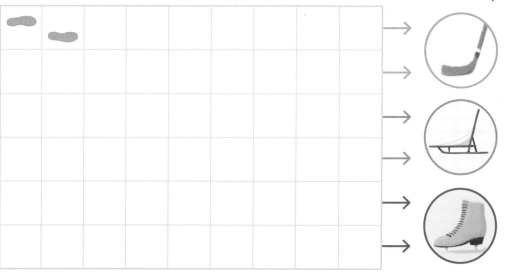

CAP OU PAS CAP ?

1 Avec un/e camarade, **lance** les dés et **pose** des questions.

 Questions libres.

2 Et toi, qu'est-ce que tu sais faire ? **Coche** la/les case/s qui correspond/ent et **colle** ton autocollant. **Cherche-le** page D.

> Je sais dire et demander quel temps il fait. ☐

> Je connais les mois et les saisons. ☐

> Je sais dire et demander ce qu'on fait. ☐

> Je connais quelques sports et activités d'hiver. ☐

> Je sais compter jusqu'à 31. ☐

1 Vrai ou faux ? **Observe** et **coche** la bonne case.

	VRAI	FAUX
A. Il y a un bateau.	☑	☐
B. Il n'y a pas de valise bleue.	☐	☐
C. Il y a un pantalon rouge.	☐	☐
D. Il n'y a pas de teeshirt jaune.	☐	☐
E. Il n'y a pas de chaussettes.	☐	☐
F. Il y a un pull bleu.	☐	☐

2 Qu'est-ce qu'Emma met dans sa valise ?
Écoute et **entoure** les vêtements.

1.

2.

3.

4.

5.

6.

7.

8.

9.

10.

11.

12.

3 **Observe** et **écris** le nom des vêtements.

1.
le bonnet

2.

3.

4.

5.

4 **Lis** et **coche** la tenue qui correspond à chaque description.

A. Aujourd'hui, il fait froid.
Je mets une jupe bleue
et un pull noir,
des chaussettes,
mes chaussures
et mon manteau.

1. ☐   2. ☐

B. J'ai très chaud. Je mets
mon chapeau, mes lunettes
de soleil, un short vert
et un teeshirt orange.

1. ☐   2. ☐

5 Et toi, qu'est-ce que tu portes en été ? **Dessine** et **écris**.

1 **Lis** les descriptions. **Cherche** les autocollants page D
et **colle-les** au bon endroit.

1

Il est petit et
mince. Il a les
cheveux courts
et bruns.
Il porte un short,
un teeshirt bleu
et des chaussures
blanches.

2

Elle est petite
et mince. Elle a
les cheveux roux
et longs. Elle porte
un teeshirt
et un short.

3

Elle est mince.
Elle a les cheveux
blonds et longs.
Elle porte un pull
bleu, un pantalon
noir et des
chaussures bleues.

4

Il est petit. Il a les
cheveux châtains.
Il porte un teeshirt
blanc, un pantalon
et un chapeau.

5

Elle est grande et
mince. Elle a les
cheveux longs et
châtains. Elle porte
un pantalon, un
pull et une écharpe.

6

Il est grand et
gros. Il a les
cheveux bruns et
courts. Il porte un
pantalon bleu et
un teeshirt blanc.

❷ **Écoute** et **coche** le personnage qui correspond à la description.

1.

A. ☐   B. ☐

2.

A. ☐ B. ☐

3.

A. ☐ B. ☐

❸ **Choisis** un personnage de la famille d'Amélie et **fais** sa description.

....

....

....

1 **Observe** et **écris** le nom des parties du corps.

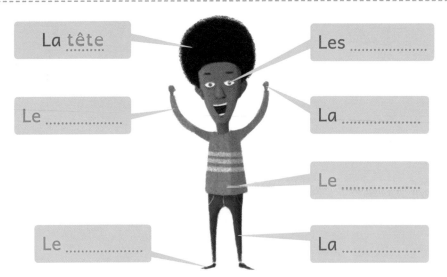

La tête

Les ....

Le ....

La ....

Le ....

Le ....

La ....

2 **Observe** et **complète** les phrases.

1. Elle a mal au ventre.

3. Nous ....

2. Il ....

4. Tu ....

3 **Lis** et **complète** la carte postale.

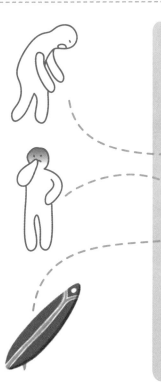

Coucou papi et mamie !
La Guadeloupe, c'est super !
On connait les frères et sœurs
de maman. Il fait beau et chaud.
Maman est .... et papa est
.... Moi, je vais ....
Je fais ...., Hector fait
.... et Emma fait
....

Et vous, comment ça va ?
Gros bisous,
Gabriel

4 **Observe** et **écris** ce qu'ils/elles font.

A.

Elle fait du surf.

B.

....

C.

....

D.

....

5 **Cherche** les autocollants page D. **Écoute** la chanson et **colle-les** pour la compléter.

LA GUADELOUPE, C'EST UNE MERVEILLE

Pas d'

Sur la tête,

Une casquette,

Des

La Guadeloupe, c'est fantastique,

Surtout la plage et la musique !

Pas de bottes

Ni d'

Des sandales,

Un

La Guadeloupe, c'est une merveille,

Surtout la plage et le soleil !

J'oublie si j'

Quand je nage ou je fais la fête.

J'oublie si j'

Quand je danse

cette musique

comme ça.

1 Lis et réponds aux questions. Coche la/les bonne/s réponse/s.

> Coucou ! C'est moi, Hector.
>
> En Guadeloupe, il fait très chaud. La famille va bien,
> mais papa a mal au ventre.
>
> La grande sœur de maman est belle, grande
> et elle a les cheveux longs.
>
> Ici, on enlève les manteaux, les pantalons et les pulls et on met
> des shorts, des teeshirts et des maillots de bain.
>
> C'est super et il y a beaucoup d'activités, je fais de la plongée,
> du kayak et du surf.

A. Nicolas a mal où ? 1.☐ 2.☐ 3.☑

B. Comment sont les cheveux
de la grande sœur d'Amélie ? 1.☐ 2.☐

C. Qu'est-ce qu'on porte en Guadeloupe ?
1.☐ 2.☐ 3.☐ 4.☐ 5.☐ 6.☐

D. Hector fait quelles activités ?
1.☐ 2.☐ 3.☐ 4.☐ 5.☐ 6.☐

2 Écris le mot correspondant à chaque dessin.
Écoute et vérifie. 🎧30

1.

un short

2.

....

3.

....

4.

....

5.

....

6.

....

1 Écoute et écris le numéro qui correspond à chaque image.

A. ☐

En Écosse

B. ☐

Au Japon

C. ☐

Au Groenland

D. ☐

Au Pérou

2 Colle une photo du costume traditionnel de ton pays ou de ta région et décris-le.

① **Lis** et **imite** les positions.

Le **yoga**, c'est très amusant ! Mais c'est bien aussi pour être en forme et être calme. Les positions du yoga viennent souvent de la nature.

L'ARBRE

Tu es debout, sur un pied. Tu plies une jambe, tu respires et tu ne bouges pas. Tu mets tes mains au-dessus de ta tête.

LE CHAMEAU

Tu es installé/e sur tes genoux. Tu mets tes bras derrière toi et tu touches tes pieds. Tu fermes les yeux et tu respires fort.

② **Associe**.

A.

1. **LE PAPILLON**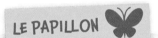

Tu es assis/e. Tu as les jambes pliées. Tu mets tes mains devant toi, tu fermes les yeux et tu respires fort.

B.

2. **LE SERPENT**

Tu es couché/e sur ton ventre. Tu t'appuies sur tes mains et tes pieds et tu lèves la tête. Tu fermes les yeux.

C.

3. **LE CHIEN**

Tu t'appuies au sol sur tes mains et tes pieds. Tes jambes et tes bras sont tendus.

③ Avec un/e camarade, **cherchez** un autre exercice de yoga et **faites-le**.

CAP OU PAS CAP ?

1 **Choisis** une couleur et **réponds** aux questions pour arriver le premier ou la première en Guadeloupe.

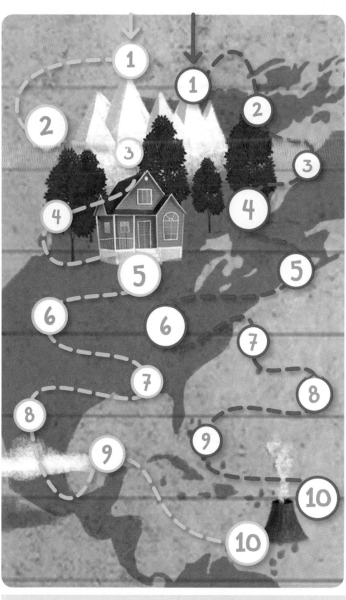

1. Qu'est-ce que c'est ?

2. Il a mal où ?

3. Quel sport tu fais ?

4. Qu'est-ce que c'est ?

5. Quel sport ils font ?

6. Qu'est-ce qu'elle fait ?

7. Comment il est ?

8. Qu'est-ce que c'est ?

9. Elle a mal où ?

10. Comment sont ses cheveux ?

1. Un teeshirt. **2.** Il a mal à la tête. **3.** Je fais du surf. **4.** Des chaussettes. **5.** Ils font du kayak. **6.** Elle fait de la natation. **7.** Il est gros. **8.** Une jupe. **9.** Elle a mal au ventre. **10.** Ils sont courts.

2 Et toi, qu'est-ce que tu sais faire ? **Coche** la/les case/s qui correspond/ent et **colle** ton autocollant. **Cherche-le** page D.

> Je connais des noms de vêtements. ☐

> Je connais les parties du corps. ☐

> Je connais des sports d'été. ☐

> Je sais décrire une personne. ☐

> Je sais exprimer des sensations. ☐

CAP SUR LE DELF PRIM A1.1

⇒ Je découvre l'examen

Épreuve	Exercices	🕐	/ 100
Compréhension de l'oral	2 exercices	15 minutes	12 points
Compréhension des écrits	3 exercices	15 minutes	18 points
Production écrite	3 exercices	15 minutes	40 points
Production orale	3 exercices	15 minutes	30 points

⇒ Je comprends les consignes

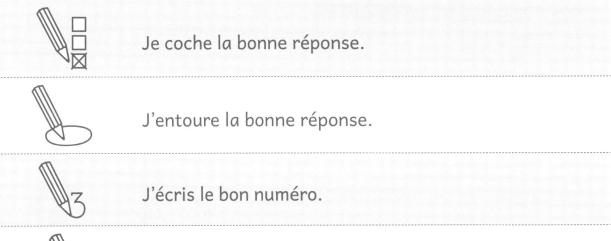

Je coche la bonne réponse.

J'entoure la bonne réponse.

J'écris le bon numéro.

J'écris la bonne réponse.

COMPRÉHENSION DE L'ORAL

1 Écoute, observe et coche la bonne image.

Dialogue 1   A.    B.    C.

Dialogue 2   A.    B.    C.

Dialogue 3   A.    B.    C.

2 Écoute, observe et écris le numéro qui correspond à chaque photo.

A.

B.

C.

D.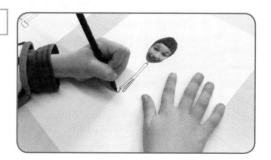

COMPRÉHENSION DES ÉCRITS

1 Tu **lis** le menu dans l'avion. **Entoure** les aliments qui sont disponibles dans le menu.

MENU ENFANT	
— Petit déjeuner	
• Jus d'orange + croissant	4 €
• Jus d'orange + fruit (pomme ou banane)	2 €
— Déjeuner	
• Sandwich au fromage	4 €
• Sandwich au fromage + jus d'orange	5 €
• Sandwich au fromage + jus d'orange + fruit (pomme ou banane)	7 €
— Gouter	
• Pomme ou banane	1 €
• Biscuits	2 €

A.    B.    C.    D.    E.

F.    G.    H.    I.    J.

2 **Lis** le document et **coche** les bonnes réponses.

Nouveau message	_ ⊡ ✕
De : Emma	
À : Manon	
Objet : Une sortie à l'exposition Chagall	

Salut, Manon !
Est-ce que tu es libre samedi ?
Je vais voir l'exposition Chagall au musée des Beaux-Arts avec mes parents et mes frères.
Tu veux venir avec nous ? Tu peux venir avec ta sœur.
On se retrouve à la maison. Nous allons au musée en bus.
Réponds-moi vite avant jeudi !
Emma

A ☺ 🖉 🗑   ENVOYER ▾

A. Emma invite Manon...
- **1.** ☐ à la plage.
- **2.** ☐ à l'école.
- **3.** ☐ au musée.

B. Quel jour est l'invitation ?
- **1.** ☐ Jeudi.
- **2.** ☐ Vendredi.
- **3.** ☐ Samedi.

C. Avec qui Manon peut venir ?
- **1.** ☐ Ses sœurs.
- **2.** ☐ Son frère.
- **3.** ☐ Sa sœur.

D. Comment ils vont à l'exposition ?
- **1.** ☐ En voiture.
- **2.** ☐ En train.
- **3.** ☐ En bus.

3 Tu participes à un concours pour gagner un jeu vidéo. **Lis** les instructions pour participer et **écris** le numéro de l'instruction qui correspond à chaque image.

Grand concours du magazine
La mode pour tous
25 rue de la Liberté 13000 Marseille

GAGNE UN SUPER JEU VIDÉO !
Pour participer, c'est facile !

① Prends une photo de toi avec tes vêtements préférés.

② Colle-la sur une feuille blanche.

③ Indique ton âge.

④ Écris ton nom et ton adresse sur une enveloppe et envoie ta composition.

A.

B.

C.

D.

1 Gabriel veut s'inscrire à un club de lecture.
Observe la carte mentale et l'étiquette et **aide-le** à compléter
la fiche d'inscription.

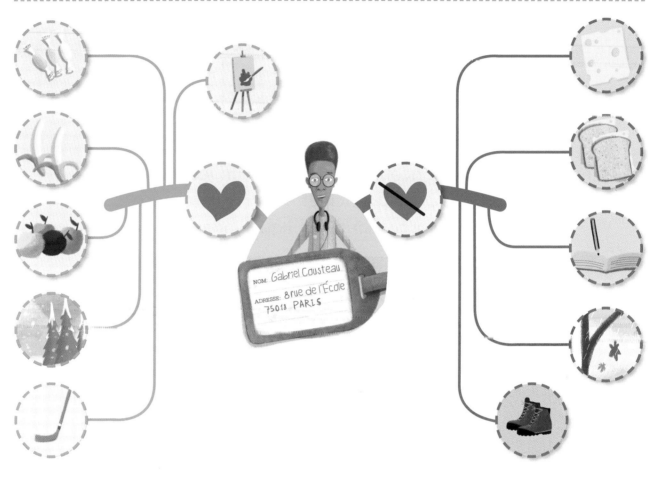

Fiche d'inscription

 CLUB DE LECTURE

Nom : ....

Prénom : ....

Adresse : ....

J'aime : ....

....

....

Je n'aime pas : ....

....

....

2 **Complète** la lettre d'Emma. **Écris** les mots à la place des dessins, comme dans l'exemple.

COUCOU, AXEL !
COMMENT ÇA VA ? MOI, TRÈS BIEN ! JE SUIS EN GUADELOUPE.

IL FAIT TRÈS ....chaud.......... ET JE M'AMUSE BEAUCOUP !

LE MATIN, JE FAIS DU .... AVEC UN PROFESSEUR.

L'APRÈS-MIDI, JE FAIS DE LA ....

LA .... EST BELLE ET IL Y A UNE ....
DANS LE JARDIN !

ICI, ON MET DES .... ET DES ....

ON OUBLIE LES .... ET LES ....

JE SUIS TRÈS CONTENTE DE MES VACANCES. MAIS MON PÈRE A MAL ....

ET MA MÈRE EST ....

ET TOI, QU'EST-CE QUE TU FAIS ?
À BIENTÔT ! GROS BISOUS !

EMMA

3 **Écris** à ton/ta correspondant/e francophone.
Parle-lui des matières que tu aimes (3 matières)
et des matières que tu n'aimes pas (2 matières).

....
....
....
....
....
....
....
....

PRODUCTION ORALE

1 **Écoute** et **réponds** aux questions.

2 **Choisis** 2 thèmes et **réponds** aux questions.

Thème 1
LES TRANSPORTS

A. Comment tu vas à l'école le matin ?

B. Quel transport tu prends pour partir en vacances ?

Thème 2
LES VÊTEMENTS

A. Il fait chaud/froid. Comment tu t'habilles ?

B. De quelle couleur est ton vêtement préféré ?

Thème 3
LES SAISONS

A. Quelle est ta saison préférée ?

B. Quel temps il fait à cette saison ?

C. Quelle saison tu détestes ? Pourquoi ?

Thème 4
LES SPORTS

A. Tu fais quel sport ?

B. Quel jour tu fais ce sport ?

3 **Choisis** une image et **décris-la**. **Aide-toi** des questions.

A. Qui sont les personnes ?

B. Où ils/elles sont ?

C. Qu'est-ce qu'ils/elles font ?

D. Comment ils/elles sont habillés/es ?

E. Quel temps il fait ?

F. Ils/Elles ont mal où ?

GLOSSAIRE

le père / le papa
....

LES PARENTS

....

la mère / la maman
....

le frère / le fils
....

LES ENFANTS

....

la sœur / la fille
....

LA FAMILLE

le grand-père
....

la grand-mère
....

LES GRANDS-PARENTS

....

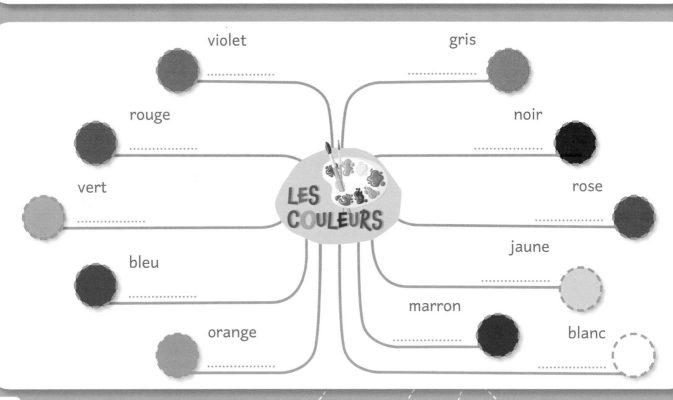

violet
....

gris
....

rouge
....

noir
....

vert
....

LES COULEURS

rose
....

bleu
....

jaune
....

orange
....

marron

blanc
....

LA DESCRIPTION

un garçon

Il est petit.

une fille

Elle est contente.

petit	petite ....
grand	grande ....
content	contente ....
joli	jolie ....
gros	grosse ....
beau	belle ....
fâché	fâchée ....
fatigué	fatiguée ....

.... triste ....

.... drôle ....

.... mince ....

.... malade ....

LES YEUX

....

 bleus

....

 marron

....

 verts

....

LES CHEVEUX

....

 blonds

....

 roux

....

 châtains

....

 bruns

....

 courts

....

 longs

....

GLOSSAIRE

LES SENSATIONS

avoir froid

avoir chaud

avoir peur

avoir sommeil

avoir faim

avoir soif

avoir mal au ventre

avoir mal à la jambe

avoir mal à la tête

avoir mal à la main

avoir mal au bras

être fatigué/e

aller bien

être malade

LE CORPS

La tête

Les yeux

Le bras

La main

Le pied

Le ventre

La jambe

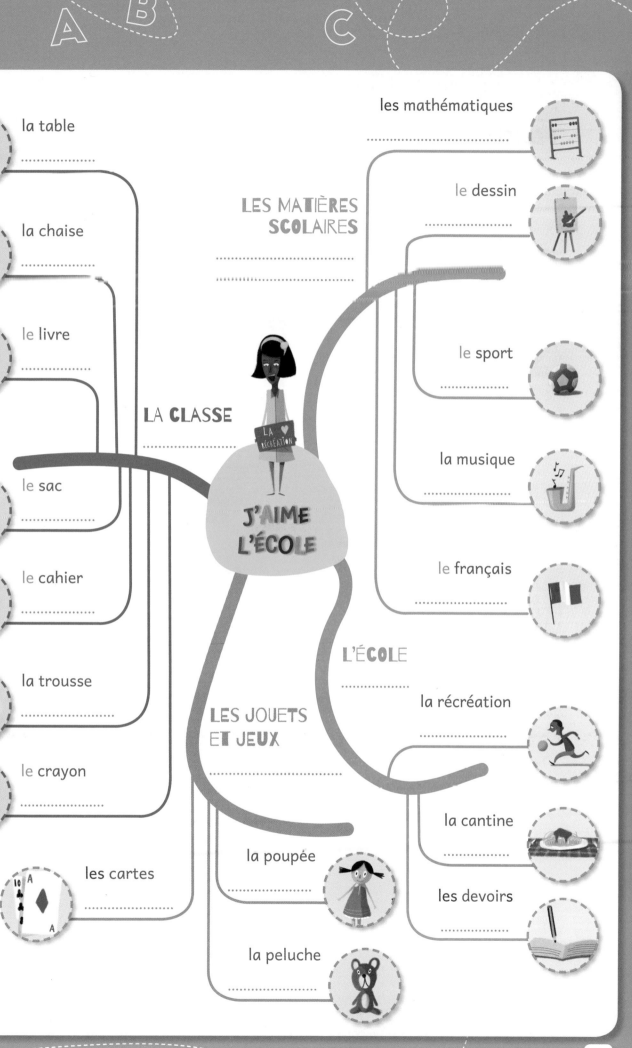

la table

la chaise

le livre

LA **CLASSE**

le sac

le cahier

la trousse

le crayon

les cartes

LES JOUETS
ET JEUX

la poupée

la peluche

les mathématiques

LES MATIÈRES
SCOLAIRES

le dessin

le sport

la musique

le français

**J'AIME
L'ÉCOLE**

LA
RÉCRÉATION

L'**ÉCOLE**

la récréation

la cantine

les devoirs

GLOSSAIRE

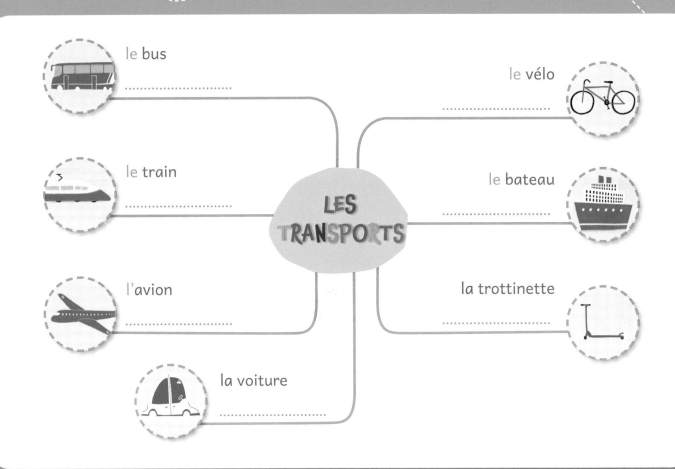

le bus ....

le train ....

l'avion ....

la voiture ....

LES TRANSPORTS

le vélo ....

le bateau ....

la trottinette ....

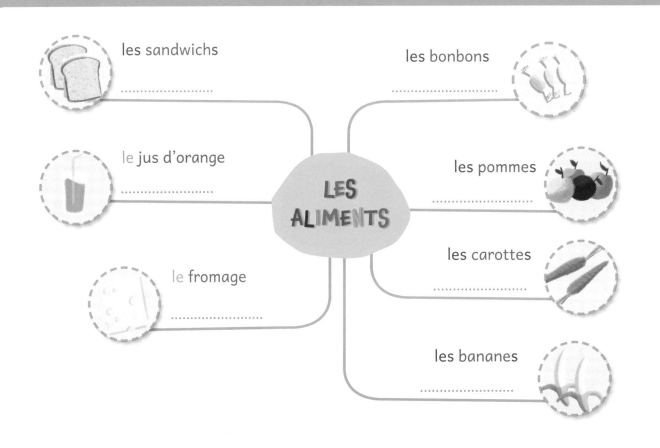

les sandwichs ....

le jus d'orange ....

le fromage ....

LES ALIMENTS

les bonbons ....

les pommes ....

les carottes ....

les bananes ....

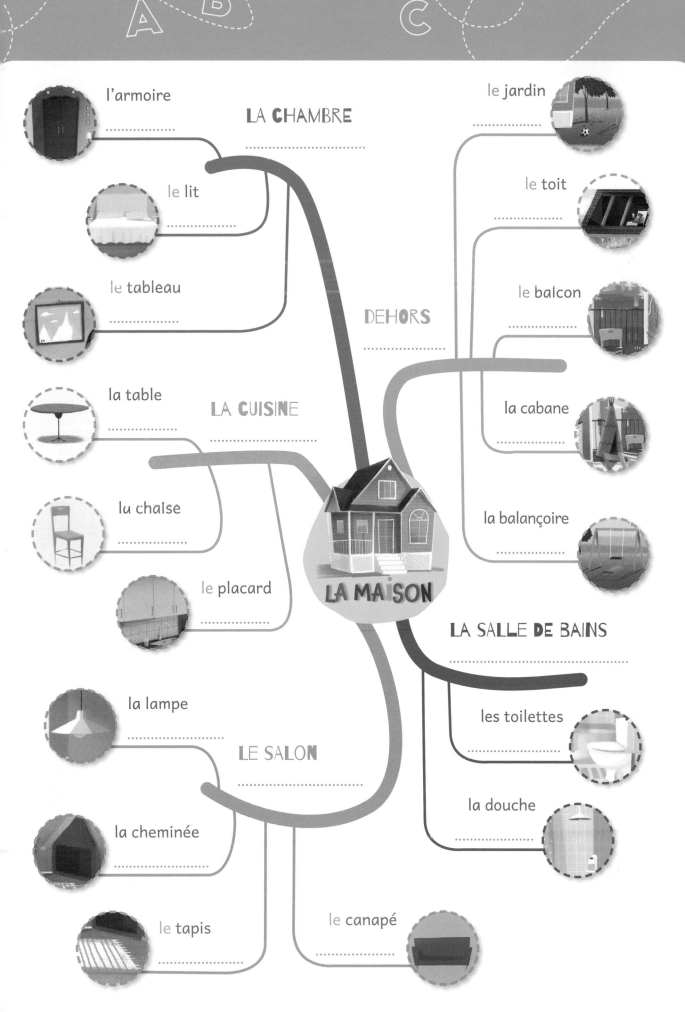

l'armoire

LA CHAMBRE

le lit

le tableau

la table

LA CUISINE

lu chalse

le placard

la lampe

LE SALON

la cheminée

le tapis

le jardin

le toit

le balcon

DEHORS

la cabane

la balançoire

LA MAISON

LA SALLE DE BAINS

les toilettes

la douche

le canapé

GLOSSAIRE

 le surf
....

le traineau
....

 le patin à glace
....

le football
....

LES SPORTS D'HIVER
....

la natation
....

LES SPORTS D'ÉTÉ
....

**LES
SPORTS**

 le ski
....

le kayak
....

le hockey
sur glace
....

la course à pied
....

la marche
....

la plongée
....

un **short**
....

un **pull**
....

une **robe**
....

des **chaussures**
....

des **lunettes de soleil**
....

des **chaussettes**
....

L'ÉTÉ
....

LES VÊTEMENTS

L'HIVER
....

un **maillot**
....

une **écharpe**
....

une **jupe**
....

un **bonnet**
....

un **chapeau**
....

un **pantalon**
....

un **teeshirt**
....

un **manteau**
....

GLOSSAIRE

LES NOMBRES DE 1 À 31

1 un   2 deux   3 trois   4 quatre

5 cinq   6 six   7 sept   8 huit

9 neuf   10 dix   11 onze   12 douze

13 treize   14 quatorze   15 quinze   16 seize

17 dix-sept   18 dix-huit   19 dix-neuf   20 vingt

21 vingt-et-un   22 vingt-deux   23 vingt-trois   24 vingt-quatre

25 vingt-cinq   26 vingt-six   27 vingt-sept   28 vingt-huit

29 vingt-neuf   30 trente   31 trente-et-un

LES JOURS DE LA SEMAINE

LUNDI → MARDI → MERCREDI → JEUDI →

→ VENDREDI → SAMEDI → DIMANCHE

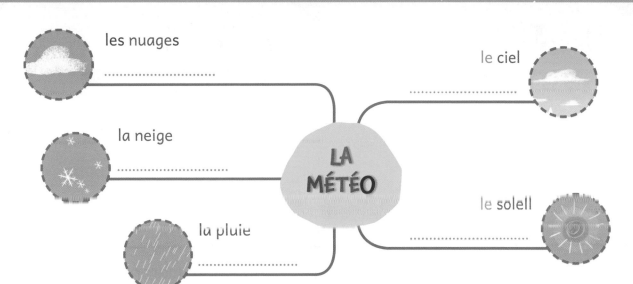

les nuages

....

le ciel

....

la neige

....

le solell

....

la pluie

....

LA MÉTÉO

LES MOIS DE L'ANNÉE

JANVIER

....

FÉVRIER

....

MARS

....

AVRIL

....

MAI

....

JUIN

....

JUILLET

....

AOUT

....

SEPTEMBRE

....

OCTOBRE

....

NOVEMBRE

....

DÉCEMBRE

....

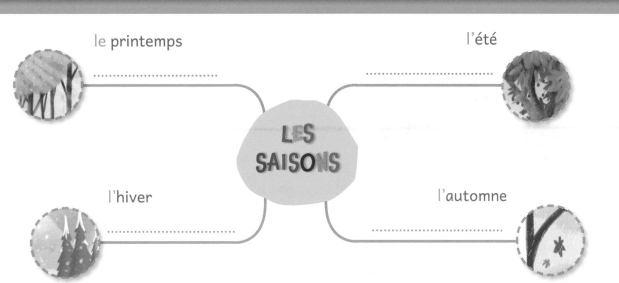

le printemps

....

l'été

....

l'hiver

....

l'automne

....

LES SAISONS

CHANSONS

UNITÉ 0

♫ L'ALPHABET

Avec Gaston le pigeon,
On apprend bien le français
Et on chante cette chanson
Pour pratiquer l'alphabet :

A B C D E F G H I J K L

M N O P Q R S T U V W

X Y et Z

UNITÉ 1

♫ LES MACARONS

Un macaron rose pour
mon père,
Deux macarons verts pour
ma mère,
Trois macarons rouges pour
mon frère,
Et quatre macarons jaunes
pour mon autre frère.

Je m'appelle Emma,
J'habite à Paris,
J'aime les macarons et
ma famille aussi.

Cinq macarons orange pour
mon père,
Six macarons gris pour
ma mère,
Sept macarons bleus pour
mon frère,
Et huit macarons noirs pour
mon autre frère.

Je m'appelle Emma,
J'habite à Paris,
J'aime les macarons et ma
famille aussi.

Neuf macarons pour moi,
j'aime les marron,
Et dix macarons blancs,
je les donne à Gaston.

UNITÉ 2

♫ J'AIME BEAUCOUP MON ÉCOLE

J'aime beaucoup mon école :
La musique, le français et
la maitresse qui est très
drôle !
J'aime beaucoup
mes amis :
Les garçons et les filles,
les grands et les petits.

Au revoir mes amis !
Merci pour les cadeaux
Et les jolies photos.

J'aime bien tous les jouets :
La voiture, la peluche, le ballon
et la poupée.
J'aime bien venir ici :
Cinq jours par semaine,
du lundi au vendredi.

Au revoir mes amis !
Merci pour les cadeaux
Et les jolies photos.

UNITÉ 3

♫ MA JOURNÉE

Le matin, un jus d'orange
et un croissant,
Et je vais
à l'école dans le bus
des grands.

Le midi, des carottes
et du brocoli,
J'aime manger
à la cantine
avec mes amis.

L'après-midi, une
banane et un biscuit,
J'adore le gouter chez
papi et mamie.

Le soir, je mange toujours
du fromage,
Et hop, au lit ! Bonne nuit !

CHANSONS

UNITÉ 5

♫ JOYEUX ANNIVERSAIRE

Toi, t'as 7 ans, 7 ans comme ça,
Alors pour toi, on chante 7 fois :
joyeux anniversaire (x7)
Et stop !

Toi, t'as 7 ans, 7 ans comme ça,
Alors pour toi, on saute 7 fois :
on saute (x7)
Et stop !

Toi, t'as 7 ans, 7 ans comme ça,
Alors pour toi, on frappe 7 fois :
on frappe (x7)
Et stop !

Toi, t'as 7 ans, 7 ans comme ça,
Alors pour toi, on danse comme
ça : on danse (x7)
Et stop !

UNITÉ 4

♫ DANS LA MAISON DU CANADA

Dans la maison du Canada,
Il y a une cheminée s'il fait
trop froid.
Dans le jardin, il y a une
balançoire,
On y joue du matin au soir.
Dans le salon, il y a un canapé,
On est vraiment bien installés !
Une table, cinq chaises
et un placard.
Et une lampe s'il fait trop noir.

Ce n'est pas notre maison,
Ici tout est nouveau,
Mais c'est grand et c'est beau !

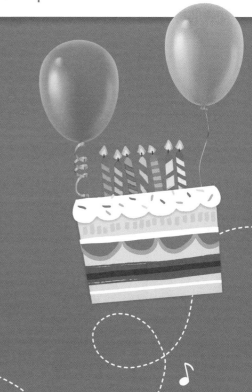

UNITÉ 6

♫ LA GUADELOUPE, C'EST UNE MERVEILLE

Pas d'bonnet
Sur la tête,
Une casquette,
Des lunettes.

La Guadeloupe, c'est fantastique,
Surtout la plage et la musique !
Pas de bottes
Ni d'manteau,
Des sandales,
Un maillot.

La Guadeloupe, c'est
une merveille,
Surtout la plage et le soleil !
J'oublie si j'ai mal à la tête
Quand je nage ou je fais la fête.
J'oublie si j'ai mal au bras
Quand je danse cette musique
comme ça.

Pas de chaussures
Ni de chaussettes.
Les pieds nus,
C'est très chouette.

La Guadeloupe, c'est fantastique,
Surtout la plage et la musique !
Pas d'écharpe,
Pas de gants,
Même si c'est
Élégant.

La Guadeloupe, c'est
une merveille,
Surtout la plage et le soleil !
J'oublie si j'ai mal à la tête
Quand je nage ou je fais la fête.
J'oublie si j'ai mal au bras
Quand je danse cette musique
comme ça.

LA CARTE DU MONDE

OCÉAN ATLANTIQUE

OCÉAN PACIFIQUE

OCÉAN A...

N

O

E

S

OCÉAN ARCTIQUE

OCÉAN
PACIFIQUE

EVEREST

8.848 m

ERRANÉE

OCÉAN
INDIEN

NOTES

NOTES

Autrices
Pauline Grazian (unités 1, 3, 5), Gwendoline Le Ray (unités 0, 2, 4, 6), Stéphanie Pace (DELF Prim)

Coordination éditoriale et pédagogique
Aurore Baltasar, Virginie Karniewicz

Illustrations
Robert Garcia (Gaur estudio)
Cristina Torrón (mots unité 0)

Reportage photographique, couverture et autocollants
Laurianne López

Conception graphique et mise en page
Cristina Muñoz Idoate

Correction
Martine Chen

Autrice, compositrice, interprète
Anna Roig

Arrangements musicaux
Carles Cors

Enregistrements
Blind Records

Locuteurs/locutrices
David Bocian, Mathilde Eloy, Anouk, Pol, Sacha, Violette

Remerciements
Nous tenons à remercier Amandine Demarteau, Estelle Foullon, Aurore Jarlang et Adelaïde Tilly, pour leurs conseils et leur relecture.

www.emdl.fr/fle

Crédits photographiques
Unité 0 p.7 Adobestock/ avian ; IStock/MediaProduction ; Adobestock/ Nikolai Sorokin ; IStock/artproem ; IStock/farbenrausch ; Adobestock/vpanteon ; IStock/lord_photon ; Adobestock/Carola Vahldiek ; Adobestock/struvictory ; IStock/KathyDewar ; IStock/Marek Trawczynski ; IStock/Michael Burrell ; Adobestock/ what4ever ; IStock/ferrantraite ; IStock/MaksimMazur ; p.9 IStock/FatCamera ; IStock/Lordn ; IStock/xavierarnau ; IStock/FatCamera ; Adobestock/chotiga ; IStock/Wavebreakmedia ; **unité 1** p.11 dreamstime/ Tuja66 ; dreamstime/Vladimir Sotnichenko ; iStock/koya79 ; Istock/vladvvm ; Adobestock/koya979 ; p.13 Dreamstime/Rhbabiak13 ; Adobestock/ twinsterphoto ; Adobestock/dglimages ; Adobestock/Kzenon ; Adobestock/ cienpiesnf ; Adobestock/cienpiesnf ; Adobestock/cienpiesnf ; Adobestock/ cienpiesnf ; p.14 Adobestock/meisterphotos ; Adobestock/Hayati Kayhan ; p.15 Adobestock/Ian O'Hanlon ; p.17 Adobestock/mvoisey ; Adobestock/ Roman Sigaev ; Adobestock/Alena Yakusheva ; Adobestock/ wetzkaz ; Istock/izusek ; Adobestock/ .shock ; p.18/Adobestock/n_eri ; Adobestock/ pixelalex ; Istock/Volodymyr Kryshtal ; Adobestock/Ольга Мещерякова ; p.19/ IStock/alexandragl1 ; Istock/Volodymyr Kryshtal ; Adobestock/pixelalex ; Adobestock/Sarah ; IStock/farakos ; **unité 2** p.26 Adobestock/Cifotart ; p.27 Istock/Kuzmichstudio ; Dreamstime/ Ruslan Huzau ; Dreamstime/Igor Mojzes ; p.27 Dreamstime/Sergey Novikov ; p.28 Istock/skynesher ; Dreamstime/ Motortion ; Istock/Ridofranz ; Adobestock/Prostock-studio ; **unité 3** p.34 Adobestock/kreus ; Adobestock/azure ; Adobestock/volff ; Adobestock/ ChristArt ; Adobestock/Nitr ; Adobestock/eyewave ; Istock/frederique wacquier ; Adobestock/Christian Jung ; Adobestock/anaumenko ; Adobestock/ azurita ; Adobestock/ Natalia ; Adobestock/Victor ; istock/Dash_med ; istock/ fisher_photostudio ; istock/Olesya22 ; p.37 Adobestock/Marcel Schauer ; p.38 istock/3DSculptor ; istock/skodonnell ; istock/johny007pan ; istock/saz1977 ; istock/clu ; Adobestock/Jérôme Castel ; Adobestock/Leonid Andronov ; Adobestock/jat306 ; Adobestock/caftor ; Adobestock/tapui ; p.39 Adobestock/ Christian Jung ; Dreamstime/Jordi Prat Puig ; Adobestock/Nikolai Sorokin ; Adobestock/BillionPhotos.com ; Adobestock/Roman Samokhin ; **unité 4** p.44 Istock/PeopleImages ; Adobestock/epiximages ; Adobestock/Africa Studio ; Adobestock/ Antonioguillem ; p.47 Adobestock/Stefan_Weis ; Adobestock/ Il Mex ; Adobestock/Africa Studio ; Adobestock/shocky ; Adobestock/hcast ; **unité 5** p.50 Istock/romrodinka ; Istock/fstop123 ; Istock/LeManna ; Istock/ Imgorthand ; p.51 Dreamstime/Vladimir Velickovic ; Dreamstime/Vladimir Velickovic ; Dreamstime/Vladimir Velickovic ; p.52/Istock/MaxTopchij ; Adobestock/luckybusiness ; Adobestock/ _Jure ; Adobestock/Monkey Business ; Istock/hedgehog94 ; Adobestock/AlexQ ; p.54/Istock/Gluiki ; p.55/Istock/ petrograd99 ; Istock/Punnarong ; Istock/DragonImages ; p.57/Istock/ LSOphoto ; Istock/Thurtell ; Istock/1001Love ; Wikimedia commons/Ian Fieggen ; p.58/Istock/taka4332 ; Istock/AnatolyM ; Istock/pictafolio ; Istock/Sergiy1975 ; Istock/mladn61 ; Adobestock/M.studio ; Adobestock/ iiierlok_xolms ; p.59/Istock/hocus-focus ; **unité 6** p.60 Adobestock/ Tarzhanova ; Adobestock/ Khvost ; istock/NYS444 ; Adobestock/dianamower ; Adobestock/ Y's harmony ; Istock/hatman12 ; istock/Olga Gillmeister ; istock/ NYS444 ; Adobestock/Alice ; istock/NYS444 ; Adobestock/moonrise ; Istock/ dendong ; Adobestock/Studio KIVI ; p.62 Istock/baona ; p.65 Adobestock/ Tropical studio ; Adobestock/Kara ; Istock/Grafner ; Istock/torwai; p.67/ Istock/theasis; Istock/Hakase_ ; Wikimedia commons/Ansgar Walk ; Istock/ hadynyah ; p.68/Adobestock/WavebreakMediaMicro ; Adobestock/ fizkes ; Dreamstime/ Viacheslav Iacobchuk ; Adobestock/ WavebreakMediaMicro ; Adobestock/Africa Studio ; Istock/drogatnev ; Istock/bubaone ; Adobestock/ vxnaghiyev ; Adobestock/martialred ; Adobestock/ blumer1979 ; Dreamstime/ Chernetskaya ; Istock/kiankhoon ; Adobestock/Y. L. Photographies ; **DELF** p.72 Istock/Kativ ; Istock/atoss ; Istock/TheCrimsonMonkey ; Istock/subjug ; Dreamstime/Ellemarien ; Istock/fcafotodigital ; Adobestock/Christian Jung ; Adobestock/BillionPhotos.com ; Adobestock/Nikolai Sorokin ; Adobestock/ Roman Samokhin ; p.73 Istock/malerapaso ; **autocollants** IStock/mrtekmekci ; Istock/gorica ; IStock/Nikolay Belyakov ; IStock/KathyDewar ; IStock/photovideostock ; IStock/baona ; Adobestock/Andrzej Tokarski ; IStock/CamiloTorres ; IStock/spline_x ; IStock/photovideostock ; IStock/ SteveCollender ; Adobestock/M.studio ; Adobestock/ZoneCreative ; Adobestock/coffeemill ; Adobestock/egorxfi ; Adobestock/Eric Isselée ; Adobestock/Aliaksei Lasevich ; Adobestock/Irina Schmidt ; Adobestock/ Microgen ; Istock/anouchka ; Adobestock/Stephane Henrard ; Istock/rutin55 ; Adobestock/Nightman1965 ; Istock/Keith Molloy ; Adobestock/nikolas_jkd ; Istock/michaeljung ; Istock/4x6 ; Istock/Jbryson ; Istock/PeopleImages

AUTOCOLLANTS

3 P. 7

1 P. 14   LEÇON 3

9 P. 9

2 P. 22   LEÇON 2

CAP OU PAS CAP ?

CAP OU PAS CAP ?

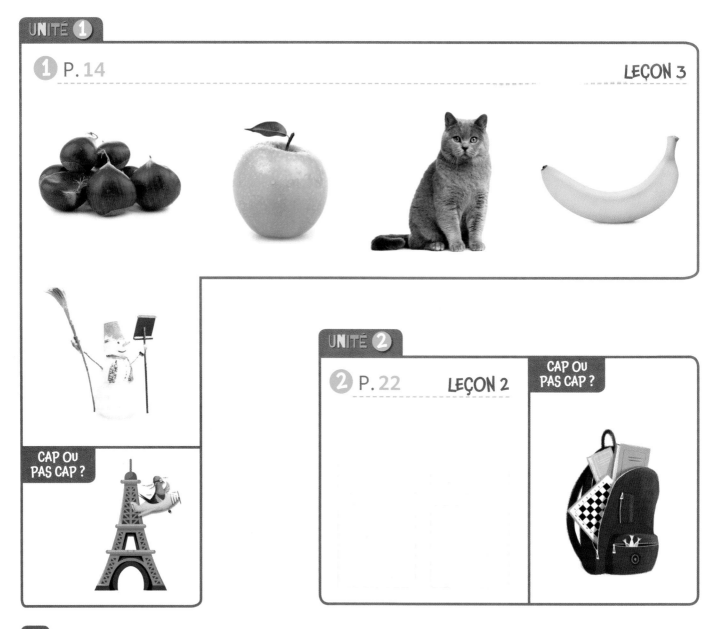

A

4 P. 31

2 P. 32

2 P. 34 LEÇON 3

1 P. 37 MISSION DÉCOUVERTE

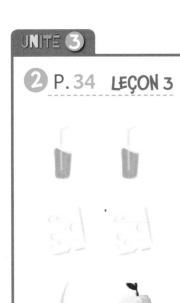
un scooter

une jonque

le Transsibérien

un transatlantique

un vélo

CAP OU PAS CAP ?

3 P. 41 LEÇON 1

3 P. 47 MISSION DÉCOUVERTE

Une cabane en bois	Une cabane dans un arbre
Une cabane de jeu	Une cabane dans la maison

3 P. 48 CAP SUR LA GÉOMÉTRIE

CAP OU PAS CAP ?

UNITÉ 5

② P. 50   LEÇON 1

③ P. 51   LEÇON 1

③ P. 54   LEÇON 3

 AVRIL    JUILLET    MARS    SEPTEMBRE

 JUIN    FÉVRIER    MAI    AOUT

 OCTOBRE    DÉCEMBRE    NOVEMBRE

CAP OU PAS CAP ?

 UNITÉ 6

① P. 62   LEÇON 2

⑤ P. 65   LEÇON 3

CAP OU PAS CAP ?

D